À tous les membres de la famille,

L'apprentissage de la lecture est l'une des réalisations les plus importantes de la petite enfance. La collection *Je peux lire* est conçue pour aider les enfants à devenir des lecteurs experts qui aiment lire. Les jeunes lecteurs apprennent à lire en se souvenant de mots utilisés fréquemment comme « le », « est » et « et », en utilisant les techniques phoniques pour décoder de nouveaux mots et en interprétant les indices des illustrations et du texte. Ces livres offrent des histoires que les enfants aiment et la structure dont ils ont besoin pour lire couramment et sans aide. Voici des suggestions pour aider votre enfant avant, pendant et après la lecture.

Avant

Examinez la couverture et les illustrations et demandez à votre enfant de prédire de quoi on parle dans le livre.

Lisez l'histoire à votre enfant.

Encouragez votre enfant à dire avec vous les mots et les formulations qui lui sont familières.

Lisez une ligne et demandez à votre enfant de la relire après vous.

Pendant

Demandez à votre enfant de penser à un mot qu'il ne reconnaît pas tout de suite. Donnez-lui des indices comme : « On va voir si on connaît les sons » et « Est-ce qu'on a déjà lu un mot comme celui-là? ».

Encouragez l'enfant à utiliser ses compétences phoniques pour prononcer d'autres mots.

Lorsque l'enfant a besoin d'aide, lisez-lui le mot qui pose un problème, pour qu'il n'ait pas trop de mal à lire et que l'expérience de la lecture avec les parents soit positive.

Encouragez votre enfant à lire avec expression... comme un comédien!

Après

Proposez à votre enfant de dresser une liste de mots qu'il préfère.

Encouragez votre enfant à relire ses livres. Il peut les lire à ses frères et sœurs, à ses grands-parents et même à ses toutous. Les lectures répétées donnent confiance au jeune lecteur.

Parlez des histoires que vous ... et répondez à celles de votre e... t des personnages et des événeme... s intéressants.

J'espère que vous et votre enfan...

Francie Alexander,
spécialiste en lecture
Groupe des publications
éducatives de Scholastic

Pour mon fils,
Robert Martin Staenberg,
le plus beau cadeau qu'une maman
peut avoir reçu.

– B. S.

Pour mes amis, Courtney, Tyler et Bill,
et en mémoire de Lisa Clough,
une amie merveilleuse
et une magnifique Maman Ours.

– K. B.

Données de catalogage avant publication (Canada)

Staenberg, Bonnie
Un cadeau pour Maman ours

(Je peux lire! Niveau 3)
Traduction de : A present for Mama Bear.

ISBN 0-439-98503-X

I. Bratun, Katy. II. Duchesne, Lucie. III. Titre.
IV. Collection.

PZ23.S7759Ca 1999 j813'.54
C99-932354-7

Édition publiée par Les éditions Scholastic,
175, Hillmount Road, Markham (Ontario) L5C 1Z7.

5 4 3 2 1 Imprimé au Canada 9 / 9 0 1 2 3 4 / 0

Un cadeau pour Maman Ours

Texte de Bonnie Staenberg
Illustrations de Katy Bratun
Texte français de Lucie Duchesne

Je peux lire! — Niveau 3

Les éditions Scholastic

Edgar l'ourson veut donner un cadeau bien spécial à sa maman pour son anniversaire. Il veut lui donner le plus beau cadeau du monde.

CALENDRIER
Anniversaire de maman

« Je pourrais lui donner des fleurs », se dit Edgar l'ourson.

Il part chercher les plus jolies fleurs qui poussent près de chez lui.

Le ciel est nuageux. Edgar l'ourson voit de belles marguerites, mais avant qu'il commence à les cueillir, la pluie se met à tomber.

Edgar l'ourson est tout trempé.

Il est tout couvert de boue.

Et il a froid.

« Ce n'est peut-être pas le plus beau cadeau du monde, après tout », se dit-il.

En rentrant à la maison,
il réfléchit sérieusement.

Puis, il a une idée.

Alors, Edgar l'ourson marche sur la pointe des pieds jusqu'à sa chambre. Il sort ses pinceaux et sa gouache.

Il dessine sa maison. Il dessine son ami alligator. Puis, il fait le portrait de sa maman.

Il était déjà couvert de boue, et maintenant, il a de la gouache partout sur lui.

Lorsqu'il a terminé, Edgar l'ourson n'est pas encore satisfait.

« Les dessins sont jolis, mais ce n'est peut-être pas le plus beau cadeau du monde », se dit Edgar.

Edgar l'ourson s'assoit sur le lit.

Il réfléchit, réfléchit et réfléchit encore.

Puis il a une idée.

« Je vais faire un gâteau. Ce sera le plus beau cadeau du monde. »

Alors, Edgar l'ourson ouvre les placards de la cuisine. Il voit la farine, le sucre et le bicarbonate de soude.

« Je vais tout mélanger, et je ferai cuire le gâteau, se dit-il. Ce sera bon. »

Puis, Edgar l'ourson essaie de prendre la boîte de sucre. Elle glisse de l'étagère et tout le sucre tombe par terre.

« Oh non! » se dit Edgar l'ourson. Maintenant, le sucre n'est plus bon.

SUCRE

Puis il sourit.

« Je peux encore utiliser la farine », pense-t-il.

Edgar essaie d'atteindre le pot de farine, mais il tombe sur le comptoir. La cuisine est un désastre.

Edgar l'ourson est maintenant couvert de boue, de gouache et de farine. Il se met à pleurer.

Sa maman l'entend et vient dans la cuisine.

SUCRE

– Qu'est-ce qui se passe, Edgar? Qu'est-ce que tu as fait?

Edgar l'ourson pleure encore plus fort.

Sa maman le prend dans ses bras.

– Ne pleure pas, mon grand, dit-elle. Je sais que tu es un bon ourson. Mais, comment as-tu fait pour être aussi sale?

Edgar l'ourson arrête de pleurer. Il lui explique l'aventure du gâteau.

Puis, il lui raconte l'histoire des dessins...

et celle des marguerites et de la pluie.

– Et maintenant, je n'ai pas
de cadeau d'anniversaire pour toi,
dit-il en poussant un grand soupir.

Sa maman réfléchit un moment.
Puis elle dit :

– Je sais ce que tu peux me donner. Ce sera le plus beau cadeau du monde.

Edgar l'ourson relève la tête.

– Sais-tu ce que j'aimerais recevoir pour mon anniversaire? dit sa maman. Un Edgar l'ourson tout propre.

Et c'est le cadeau que
Maman ours a reçu.